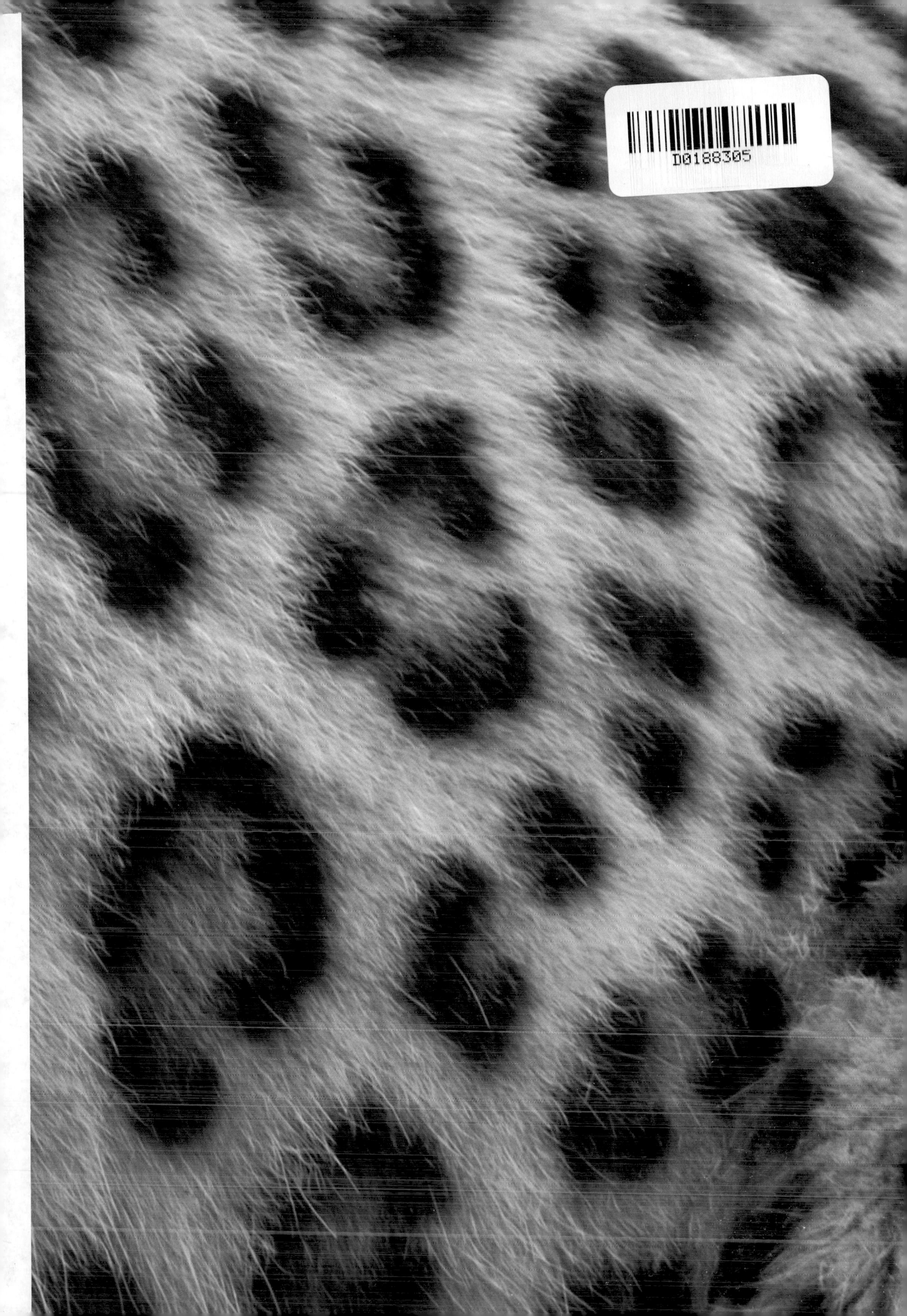

Direction éditoriale : Galia Lami Dozo – van der Kar
Conception graphique et mise en page : Cathy Dufrane
Auteur : Geneviève De Becker
Lecture - Correction : Pascale De Nève
Couverture : Cathy Dufrane

Crédits photographiques :
JupiterImages Corporation • 123RF Limited • stockxpert
Dreamstime : Kristian Sekulic / Dioscoro Dioticio / Ellen Mcilroy / Gary Unwin / Anthony Hathaway / David Hughes /
Wildlife pictures : Klein-Hubert - BIOS / Anne-Marie Loubsens • Arioko : Fleury-Arioko.com • DigitalVision
PhotoDisc • PhotoThema • Corbis • Comstock • Eyewire • Purestock : Wild Cats

FÉLINS

Les félins sont des mammifères qui appartiennent, comme les chiens, à l'ordre des carnivores. Cet ordre se caractérise par des animaux qui possèdent des canines pointues et tranchantes (les crocs) et des molaires permettant de déchiqueter leurs proies. Après la disparition des dinosaures, le poste de grands prédateurs a été laissé vacant et de nombreuses espèces de prédateurs se sont alors succédé. Les félins sont apparus il y a 25 millions d'années. À cette époque, les mammifères dominaient le monde et avaient conquis tous les habitats.

Parmi eux, on trouvait le célèbre tigre à dents de sabre ou smilodon qui, selon ses caractéristiques, devait être une véritable machine à tuer. Cependant, beaucoup ont disparu à la période glaciaire pour laisser la place aux mammifères actuels. Les félins, considérés comme les mieux adaptés des carnivores à la capture des proies, font partie de la famille des félidés, qui compte 37 espèces.

Même si leur pelage varie d'une espèce à l'autre, ils ont tous l'allure générale d'un chat domestique. Leur corps est musclé et leur tête arrondie comprend un museau court et des vibrisses (ou moustaches) qui leur servent d'organe sensoriel d'orientation et d'équilibre.

On distingue traditionnellement 3 sous-familles : celle des panthérinés, regroupant les grands félins (léopards, tigres, lions, jaguars, onces) qui rugissent, allongent leurs pattes devant eux au repos, mangent allongés et ont une pupille ronde ; celle des félinés (chats, ocelots, margays, lynx, pumas, servals), regroupant des félins de tailles moyenne et petite qui ne rugissent pas mais ronronnent, se reposent en ramenant leurs pattes avant sous leur corps, mangent accroupis et doivent se nourrir régulièrement, contrairement aux gros félins, qui eux se contentent d'une grosse proie tous les 3 à 4 jours ; et enfin, le guépard fait partie d'une sous-famille à part, celle des acinonychinés - il rugit mais contrairement aux autres félins, ses griffes ne sont pas rétractiles.
L'ensemble des félidés se répartissent un peu partout dans le monde, mais sont absents de l'Antarctique, d'Australie, des Antilles et de Madagascar, où il existe d'autres animaux à l'allure de félins (les fossas). Leur fourrure, très convoitée par l'homme, a entraîné une menace d'extinction pour la plupart de ces espèces.

Le tigre

Le tigre appartient au genre *Panthera* et à l'espèce *tigris* dont il existe 5 sous-espèces. Le tigre se reconnaît à ses rayures caractéristiques, qui diffèrent d'un individu à l'autre. Il vit en solitaire sur un grand territoire s'étendant jusqu'à 800 km^2 et y tolère peu la présence de ses congénères. Il se rencontre avec une femelle juste le temps de la reproduction. Il est nocturne et se dirige facilement dans le noir grâce, entre autres, à ses énormes moustaches (jusqu'à 30 cm de long) qui lui permettent de sentir les vibrations de l'air. Prédateur redouté de la jungle et des forêts d'Asie, il possède de longs crocs dirigés vers l'arrière, qui se plantent facilement dans la gorge ou le dos d'une proie. Il n'est pas rapide mais endurant et patient, et sa chasse se termine par une attaque foudroyante. Bon nageur, il n'a pas peur de l'eau et y traîne parfois sa proie afin d'éviter que d'autres carnivores, tels les vautours, ne soient attirés par l'odeur du sang. Le tigre de Sibérie (grande photo) est le plus grand (jusqu'à 3,20 m de long) des félins actuels et est, comme les autres tigres, en voie de disparition.

Ce superbe tigre blanc est un tigre du Bengale qui a une robe quasi blanche avec des rayures marron et de superbes yeux bleus, et non jaunes comme les autres tigres. Il doit sa couleur claire à une mutation génétique qui entraîne l'absence de pigmentation, un peu comme chez les albinos. On compte environ 200 tigres blancs dans le monde, essentiellement dans les parcs animaliers.

Tigre de Sibérie

Tigre de Sumatra

Les tigres sont menacés d'extinction en raison de la destruction de leur habitat et de la chasse que l'homme leur a faite et continue de leur faire, malgré la loi qui les protège. Leur peau est en effet très appréciée. Il ne reste, à l'heure actuelle, que 8 000 tigres dans la nature, alors qu'aux États-Unis, on estime à 10 000 le nombre de tigres en captivité ! Les tigres du Bengale, les plus répandus, ne sont plus que 5 000. Le tigre peut rester une semaine sans manger, mais après ce jeûne, il est capable de manger 35 kg de viande en un seul repas. Les tigres de Sumatra ne sont plus que 400. Quant aux tigres d'Indochine, ils comptent moins de 2 000 individus.

Tigre du Bengale

Tigre d'Indochine

LE LION

Le lion fait partie du genre *Panthera* et de l'espèce *leo*, dont il existe plusieurs sous-espèces qui se distinguent par quelques différences dans la couleur du pelage et l'épaisseur de la crinière. Ce sont les plus sociables des félins. Leur groupe se compose de 2 ou 3 mâles adultes, de 6 à 8 femelles et de leurs petits et est sous la direction d'une femelle âgée. Un seul mâle est dominant et est l'unique géniteur du groupe. Seul le mâle rugit ; son cri s'entend alors à 9 km à la ronde, avertissant ainsi ses rivaux qu'il ne vaut mieux pas venir les déranger sur leur territoire. Il passe 18 à 20 heures à se reposer et à digérer. C'est le seul grand félin à avoir une robe unie. Le mâle mesure jusqu'à 3 m de long dont 90 cm pour la queue et 1 m au garrot. La femelle est plus petite et n'a pas de crinière. Le lion se nourrit de rongeurs, lièvres, gnous et girafes, et seul l'éléphant est capable de le faire reculer. Ils vivent au sud du Sahara et en Inde. Les lions d'Afrique, maîtres des savanes, sont les plus nombreux (environ 20 000).

Les lionnes atteignent la maturité sexuelle à l'âge de 2 ans. Elles peuvent donner naissance entre 2 à 5 lionceaux tous les 2 ans, après une période de gestation d'environ 110 jours. Les lionceaux sont allaités durant 6 mois et restent aux côtés de leur mère jusqu'à l'âge de 2 ans. Leur robe est d'abord tachetée avant de devenir unie.

Lion d'Afrique

Dans le groupe, ce sont les lionnes qui vont chasser une ou deux fois par semaine afin que chacun ait en moyenne ses 5 kg de viande par jour. Un adulte peut avaler jusqu'à 30 kg en un seul repas. Elles chassent à plusieurs, sur leur territoire dépassant parfois 100 km^2. À l'affût, elles s'approchent le plus possible de leur proie (girafe, gnou, zèbre). Arrivées à 30 m de celle-ci, elles rabattent la proie vers le groupe et l'une d'entre elles saisit la proie à la gorge alors que les autres l'immobilisent. Les mâles adultes se nourrissent les premiers, suivis des femelles et enfin des lionceaux.

Le lion d'Asie a une tête moins imposante et une crinière moins épaisse que le lion d'Afrique. En raison de la chasse et de la réduction de leur habitat, les lions d'Asie sont à l'heure actuelle moins de 300, regroupés dans la forêt de Gir (1 000 km²), en Inde. À moyen terme, la consanguinité met l'espèce en péril.

La superbe crinière des lions sert, entre autres, à amortir les coups de pattes lors des combats entre mâles rivaux. Elle n'apparaît, chez le mâle, que vers l'âge de 2 ans. Cet atout majeur des mâles leur permet aussi d'impressionner leurs rivaux et les femelles.

LE GUÉPARD

Le guépard est un magnifique coureur aux longues pattes élancées. Il se reconnaît aux 2 lignes foncées qui vont de ses yeux à sa bouche et aux taches noires sur sa robe. Il vit principalement dans les steppes et les savanes du centre au sud de l'Afrique. Il se rencontre seul, en couple ou en famille. Il chasse en pleine journée, seul ou en groupe, selon la taille de la proie (chacal, gazelle, autruche, zèbre). Ce guetteur des savanes repère sa proie grâce à sa vue perçante, puis la poursuit à grande vitesse pour enfin bondir dessus et l'attraper à la gorge. Aidé de ses griffes solides et non rétractiles, il adhère bien au sol lors de sa course et peut tourner brusquement pour poursuivre sa proie. Ce félin, facile à apprivoiser, est malheureusement en voie d'extinction à cause de la chasse acharnée qu'on lui a faite pour sa fourrure et à cause du taux élevé de mortalité chez les jeunes. Il reste moins de 20 000 individus en Afrique et moins de 200 en Iran. On estime que moins d'un petit sur 3 atteint l'âge de 3 mois.

Lorsqu'il chasse, il s'approche le plus possible de sa proie puis s'élance, sans élan, en un sprint fulgurant qu'il peut poursuivre sur une distance de 300 m. Il peut alors atteindre, en 3 secondes, une vitesse de pointe de plus de 110 km/h. Ce qui en fait l'animal le plus rapide à la course. C'est aussi le félin qui a le meilleur taux de réussite à la chasse, soit 50%.

LE JAGUAR

Le jaguar est le seul grand félin du genre *Panthera* qui se rencontre en Amérique (centrale et du Sud). Les 8 sous-espèces de jaguars possèdent toutes un pelage avec des taches en rosettes, même chez les rares formes mélaniques (pelage noir). Il vit du niveau de la mer jusqu'à 3 800 m d'altitude (Costa Rica), dans la savane marécageuse et les collines boisées. Toujours à proximité d'un point d'eau, surtout ceux qui sont fréquentés par le gibier, il n'hésite pas à plonger dans l'eau pour attraper un poisson à l'aide de ses griffes effilées et même à tuer un caïman d'un seul coup de dents à la nuque. Sa morsure est d'ailleurs réputée pour être la plus destructrice et presque toujours fatale. Il est le seul félin à manger de la tortue. Ce félin réputé discret, patient et rapide, vit en solitaire et grimpe dans les arbres uniquement pour se reposer sur une branche. Il peut aussi s'allonger, à l'ombre, dans les forêts épaisses ou dans une grotte. À part l'anaconda, le seul prédateur du jaguar est l'homme, mais il est surtout en danger à cause de la destruction de son habitat.

Le nom de « jaguar » vient du mot « yaguara » qui signifie en indien « la bête sauvage qui tue sa proie d'un bond ». Et c'est à cette image qu'il est depuis 1946, l'emblème d'un constructeur automobile britannique de voitures de luxe. C'est aussi le nom d'un modèle de guitare ou encore d'un avion de chasse franco-anglais.

Le léopard

Le léopard, aussi appelé panthère, est l'un des félins les plus répandus dans le monde (Asie, Afrique, Moyen-Orient, îles de la Sonde). Du genre *Panthera* et de l'espèce *pardus*, il existe 8 sous-espèces de léopards de taille et de pelage variables, dont la robe est parsemée de rosettes en anneau, appelées ocelles. La couleur de sa robe est mimétique de son milieu de vie ; plus foncée en forêt, plus claire dans les savanes, les déserts et les montagnes enneigées. Il grimpe facilement aux arbres et passe beaucoup de temps sur une branche afin de surveiller son territoire, qui peut atteindre 100 km^2. Il peut hisser sa proie en haut d'un arbre pour la dévorer tranquillement, à l'abri des charognards. Il est solitaire et, devenu nocturne à cause des persécutions, il va chasser ses proies (antilopes, singes, oiseaux, serpents, poissons, chèvres) à la tombée de la nuit. Ceux qui vivent dans le désert trouvent l'eau dans le sang de leur victime.

Le nom de panthère est généralement réservé à la panthère noire. Son pelage noir est dû à la production de plus de pigments (mélanine) que chez les autres léopards mais quoique moins visibles, les ocelles sont toujours présentes. Cette forme mélanique est assez fréquente chez l'une des sous-espèces, la panthère de Java, qui vit en forêt tropicale, là où son pelage noir lui sert de camouflage.

LE LÉOPARD DES NEIGES

Le léopard des neiges, également appelé once, fait partie du genre *Uncia* et en est l'unique représentant dont il existe 2 sous-espèces. Il a des mœurs de petits félins - il ne rugit pas mais ronronne - mais garde la pupille ronde des autres grands félins. Il se rencontre dans des zones montagneuses du Turkménistan à l'Afghanistan et à la Chine, et du Pakistan à la Mongolie. Il chasse à l'affût des proies qui varient en fonction des saisons : l'été, lièvres et mouflons de 2 700 à 6 000 m d'altitude (dans l'Himalaya) ; l'hiver, marmottes, cerfs et sangliers dans les forêts situées à environ 1 000 m d'altitude où il trouve refuge. En raison de l'inaccessibilité de son habitat, ce félin est difficile à observer dans la nature. Malgré la loi qui le protège, son effectif est d'environ 4 000 individus ; il est donc en grand danger d'extinction. Les menaces qui pèsent sur ce félin sont la consanguinité, la chasse pour sa fourrure et la destruction de son habitat.

Le léopard des neiges est bien adapté à son milieu de vie. Son pelage clair, qui va du blanc au gris-beige est mimétique de son habitat rocheux et enneigé. Sa fourrure épaisse lui permet de supporter les rigueurs de l'hiver et ses larges coussinets poilus l'isolent de la neige et facilitent ses déplacements. Sa longue queue épaisse lui sert d'écharpe quand il se met en boule pour se protéger des tempêtes.

Le puma

Le puma ou couguar est également appelé lion de montagne. Il appartient au genre *Puma* dont l'unique espèce est l'espèce *concolor*, ce qui signifie d'une seule couleur et fait référence à son pelage quasi uniforme. On estime son origine entre 5 à 8 millions d'années, époque à laquelle il s'est distingué des jaguars et des guépards. Il existe 6 sous-espèces de pumas qui vivent du Canada à l'Argentine. Le puma se rencontre dans les forêts tropicales, les plaines et les montagnes, jusqu'à 1 500 m d'altitude. Il a une robe jaune-brun ou brun-gris, dont les poils sont plus courts dans les régions chaudes que dans les régions froides. Il chasse ses proies (cerfs, daims, mouflons, lièvres) à la course. Une fois attrapées, si elles n'ont pas succombé au choc, il les tue d'une morsure à la nuque. Cependant, comme beaucoup de félins, il rate souvent sa cible car il a moins d'endurance que ses proies. Il est traqué par les éleveurs car il lui arrive de s'attaquer au bétail.

Le puma peut faire un bond de 7 m de haut sans élan, ce qui est un record chez les animaux terrestres. Il peut plonger de 18 mètres (c'est-à-dire 6 étages) pour descendre du sommet d'un rocher ou d'un grand arbre d'où il surveille son territoire. Rapide à la course, il peut courir à 80 km/h. En cas de menace, il est capable de nager et de grimper aux arbres.

Le lynx

Le lynx est le plus proche cousin du chat et s'en distingue, entre autres, par les pinceaux de poils raides au sommet de ses oreilles, ses longs favoris et une queue plus courte. Il fait le gros dos et souffle comme un chat. Très prudent, il chasse la nuit (lièvres, campagnols, renards, oiseaux) et sommeille la journée sur une branche d'arbre ou un rocher. Il existe 4 espèces de lynx faisant partie du genre *Lynx* qui se différencient par la couleur de leur pelage. Le lynx boréal est le plus grand des félins d'Europe. Il vit dans les régions montagneuses du nord de l'Europe à l'ouest de la Sibérie. Le lynx du Canada vit dans les forêts boréales du Canada et en Alaska. Sa fourrure épaisse le rend plus massif que les autres lynx. Le lynx pardelle vit dans les forêts d'altitude d'Espagne et du Portugal et est en danger critique d'extinction (effectif : moins de 250). Le lynx roux vit dans les grandes forêts d'Amérique du Nord où il est appelé bobcat (abréviation de bobbed tail cat qui signifie « chat à la queue écourtée »).

Le lynx est un animal solitaire qui se rencontre en couple au moment de la reproduction. La femelle met bas 2 à 4 petits, après environ 2 mois de gestation. La femelle élève seule ses petits. Elle les allaite jusqu'à l'âge de 6 mois. Les petits apprennent à chasser vers 2 mois et partent à la recherche de leur territoire vers l'âge de 1 an.

Lynx du Canada

Lynx roux

Lynx boréal

Lynx pardelle

Le chat pêcheur

Le chat pêcheur ou chat viverrin est un chat sauvage d'Asie. On le rencontre dans les régions humides d'Inde, de Sumatra, de Java et du sud de la Chine. Le nom de chat pêcheur est lié à sa chasse, qui vise essentiellement les poissons, grenouilles, mollusques et crustacés. On le trouve de ce fait souvent sur la berge à guetter un poisson et prêt à lui sauter dessus. Ce grand chat a une taille qui peut aller jusqu'à 85 cm de long pour un poids de 10 kg. Son pelage, gris bleuté, est parsemé de grandes taches sombres. Il vit en solitaire sur un territoire qui peut s'étendre sur 20 km^2. Il est sexuellement mature à 10 mois et la femelle peut mettre bas de 1 à 7 chatons. En raison de la présence de pièges, notamment, son effectif est en baisse et il est classé comme espèce vulnérable depuis 2002.

Ce chat possède des doigts légèrement palmés. Lorsqu'il les écarte, ceux-ci lui permettent de nager plus vite et de se déplacer facilement dans les terrains marécageux. Comme quoi tous les chats ne détestent pas l'eau ! Contrairement aux autres chats, ses griffes ne sont pas complètement rétractiles et sa queue est assez courte. Ses poils sont si rudes qu'il est désagréable de le caresser.

Le serval

Le serval est un félin aux oreilles relativement grandes, semblables à celles d'un chien, mais dont la petite tête rappelle plutôt celle d'un chat. Il a de longues pattes très fines qui lui permettent de se promener dans les hautes herbes de la savane africaine. Sa robe est parsemée de taches noires dont le nombre peut varier selon les individus et qui lui servent de camouflage. On le rencontre surtout au sud du Sahara et quelques individus survivent encore dans le nord de l'Afrique. Il y chasse, le jour comme la nuit, des petits mammifères (rongeurs, antilopes), des oiseaux et des insectes et il ne dédaigne pas manger des fruits. Il chasse à l'affût ou en semant la pagaille parmi les petites proies, qu'il attrape en bondissant dessus avant de les tuer d'un coup de patte. Il est la proie du léopard mais il est surtout chassé par l'homme pour sa fourrure. Il miaule, ronronne et souffle comme un chat domestique et peut facilement s'apprivoiser.

Le serval peut faire des bonds de 4 m de long et de 1 m de haut. Il vit en solitaire sur un petit territoire de 3 à 40 km² qu'il délimite en urinant, parfois jusqu'à 30 fois par heure ! Les territoires des mâles ne se chevauchent pas, mais si 2 mâles se rencontrent, ils se font face, poils hérissés, grognent et essayent de se griffer. Les femelles peuvent pénétrer dans le territoire d'un mâle, ce qui est bien évidemment indispensable aux rencontres.

L'OCELOT

L'ocelot appartient au genre *Léopardus*. C'est un félin 2 fois plus gros qu'un chat (de 65 à 95 cm de long), à la robe tachetée. Il se rencontre en Amérique, dans les forêts humides, la brousse et les régions rocheuses. Il vit en solitaire. Lorsqu'il est en couple, chacun va chasser de son côté. Il chasse la nuit, en embuscade. Dès qu'il a repéré une proie (singe, serpent, rongeur), il avance lentement et discrètement vers elle, bondit dessus puis l'attrape à l'aide de ses griffes et enfin la tue en la mordant au cou. Il est agile et se déplace facilement dans les arbres où il lui arrive aussi de chasser. Excellent nageur, il peut aussi s'aventurer dans l'eau mais ne le fait qu'en cas de nécessité. Longtemps chassé pour sa superbe fourrure, il est actuellement protégé par la loi, mais la chasse continue ! De plus, il subit les conséquences de la déforestation des forêts tropicales, qui réduit fortement son habitat.

Les taches sont allongées, de couleur fauve et bordées de noir. C'est de ces taches que provient son nom : en latin « acellatus » signifie « en forme d'œil ». Chaque individu a des taches aux dessins uniques, un peu comme nos empreintes digitales. C'est le seul félin à dormir à la manière d'un chien : corps recroquevillé avec la tête sur ses pattes arrière.

Le margay

Le margay est un félin du même genre que l'ocelot, avec lequel il est souvent confondu. Cependant, la taille de son corps est plus petite (de 45 à 70 cm), sa queue est relativement plus longue et ses yeux sont plus grands. Il vit uniquement dans les forêts équatoriales d'Amérique du Sud où il est un prédateur redouté des oiseaux et des singes. En effet, ce félin essentiellement arboricole se déplace avec aisance dans les arbres. Sa longue queue lui sert de balancier lorsqu'il se déplace sur les branches et ses longues pattes lui permettent de grimper facilement aux arbres. Il est classé comme espèce en préoccupation mineure. Cependant, le commerce illégal de sa peau est d'actualité ainsi que son exportation comme animal exotique de compagnie, ce qui entraîne une diminution de son effectif ! Et malheureusement pour lui, on ne parvient pas à le faire se reproduire en captivité.

Le margay est parfaitement adapté à la vie arboricole. Il est capable, à la manière d'un écureuil, de descendre d'un arbre tête la première. Il peut se retourner très rapidement, grâce à ses pattes postérieures qui peuvent pivoter jusqu'à 180°, cas unique chez les félins. Il peut également se suspendre à une branche par les griffes de ses pattes arrière.

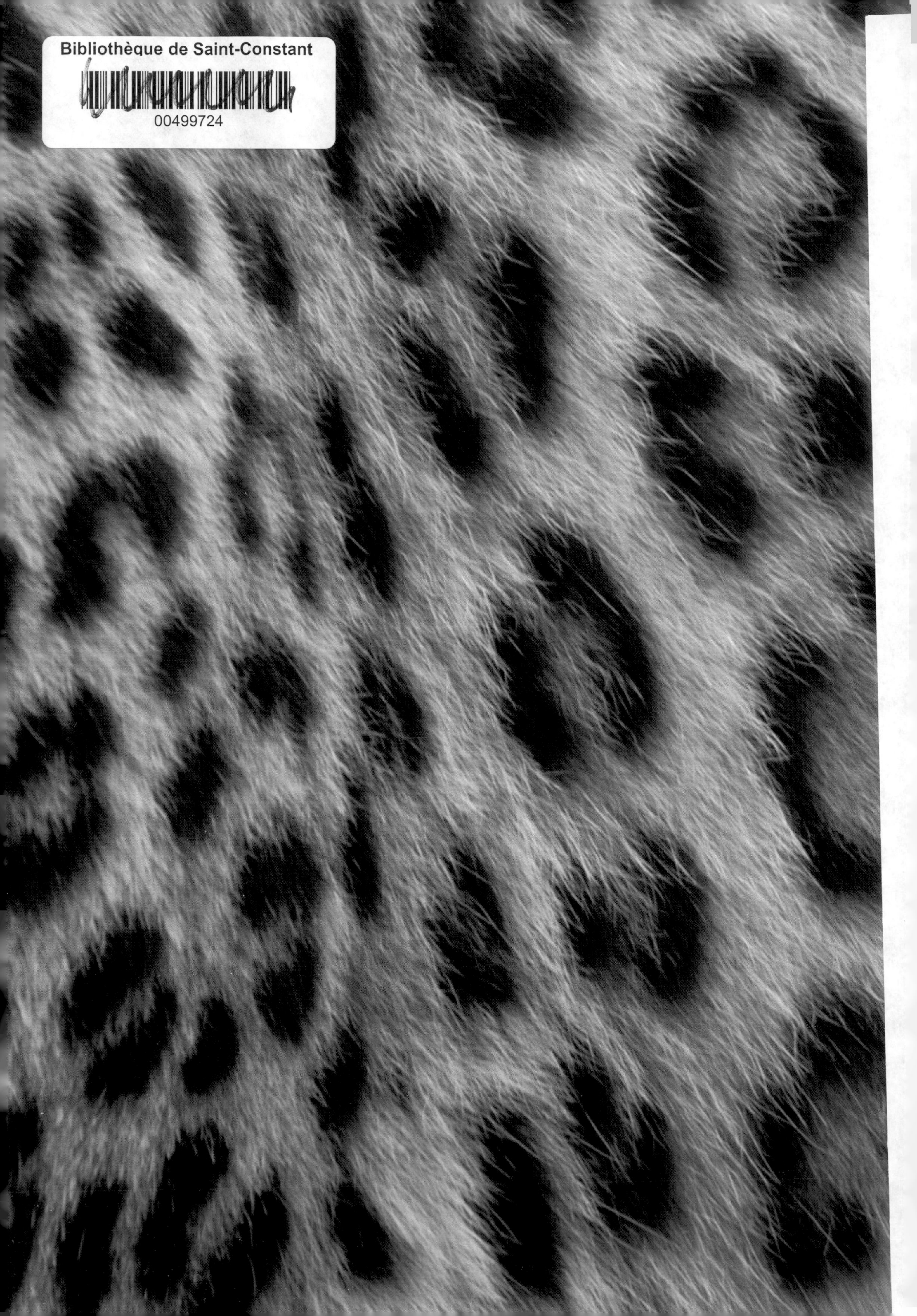